DD 8

# Lindys ac ieir bach yr haf

## Stephanie Turnbull

### Dylunio gan Nelupa Hussain

Lluniau gan Rosanne Guille ac Uwe Mayer

Ymgynghorydd lindys ac ieir bach yr haf: Michael Crosse,
Tŷ Ieir Bach yr Haf, Llundain

Addasiad Cymraeg: Elin Meek

# Cynnwys

# Pryfed anhygoel

Beth yw ieir bach yr haf?
Pryfed ag adenydd hardd
ydyn nhw sy'n hedfan.
Ar ddechrau eu bywydau,
lindys ydyn nhw.

Mantell paun yw hon.
Mae'r smotiau ar ei
hadenydd yn edrych
yn union fel y rhai
ar gynffon
paun.

# Wyau bach, bach

Mae ieir bach yr haf yn
dodwy wyau ar ddail
a brigau.

Mae'r wyau'n ludiog,
felly dydyn nhw
ddim yn syrthio
i ffwrdd.

Mae rhai ieir bach yr haf yn dodwy dros
fil o wyau mewn ychydig wythnosau.

Mae gorchudd
trwchus a garw gan lawer
o wyau.

Mae lindysyn yn tyfu ym mhob wy. Byddan
nhw'n barod i ddeor mewn ychydig ddyddiau.

Mae wyau ieir bach yr haf o bob lliw a llun.

Mae rhai
wyau'n edrych
fel perlau crwn.

Mae eraill
yn hir ac yn
denau.

Mae rhai'n
hongian fel
gleiniau ar linyn.

# Deor

Mae lindysyn yn cnoi twll yn ei wy ac yn cropian allan.

Mae'r lindysyn gwyn mawr hwn yn dal i ddeor. Wyt ti'n gallu gweld y lindys bach eraill sydd yn eu hwyau o hyd?

Yn gyntaf mae lindysyn yn bwyta'i wy. Mae'r wy'n rhoi egni iddo.

Mae'r lindysyn yn dal yn llwglyd, felly mae'n bwyta'r ddeilen roedd yr wy arni.

Yna mae'n symud ymlaen i fwyta rhagor o ddail o'r un planhigyn.

Mae genau cryf gan lindys. Maen nhw'n gallu bwyta deilen mewn chwinciad.

# Llawer o goesau

Mae un deg chwech o goesau gan bob lindysyn.

Dyma lindysyn gwyfyn ymerawdwr gwm.

Mae'r chwe choes flaen yn anystwyth a phigfain i gydio mewn bwyd.

Mae'r coesau eraill yn dewach. Mae ganddyn nhw sugnolynau i gydio mewn coesynnau a brigau.

Mae rhai lindys yn symud
fel dolenni mawr.

Mae rhan flaen
y corff yn
ymestyn.

Yna mae'r
rhan ôl yn
codi . . .

ac yn symud
i gwrdd â'r
rhan flaen.

# Cadwch draw!

Mae adar a phryfed yn hoffi bwyta lindys. Mae gan lawer o lindys batrymau ar eu corff i'w helpu i guddio.

Mae'r lindysyn gwyfyn geometrid hwn yn edrych yn union fel brigyn.

Mae rhai lindys yn gwneud arogl cas sy'n cadw anifeiliaid eraill draw.

Mae llawer o lindys yn ceisio
edrych yn frawychus i godi ofn
ar eu gelynion.

Mae
lindys
gwyfynod
titw yn codi
eu rhan flaen
i edrych yn gas
a ffyrnig.

Mae lindys olew melys yn
bwyta planhigion gwenwynig.

Felly mae blas
cas arnyn nhw.

11

# Bwyta llond eu boliau

Mae lindys yn bwyta drwy'r amser. Maen nhw'n dod o hyd i blanhigyn blasus, ac yn bwyta hyd nes ei fod wedi mynd i gyd.

Lindys gwyn mawr yw'r rhain. Dim ond dail bresych maen nhw'n eu hoffi.

Cyn hir mae lindys yn mynd yn dew a'u croen nhw'n rhy dynn. Mae'n dechrau hollti.

Maen nhw'n cropian allan o'r hen groen. Oddi tano mae croen newydd, hyblyg.

Mae croen newydd sbon gan y lindys cynffon gwennol hwn. Mae'n gadael yr hen groen ar ei ôl.

Mae'r rhan fwyaf o lindys yn newid croen bedair gwaith. Bob tro, mae'r patrymau'n fwy diddorol.

13

# Amser newid

Cyn hir, mae'r lindysyn yn barod i droi'n iâr fach yr haf.

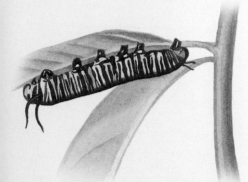

1. Yn gyntaf, mae'r lindysyn yn mynd i fan diogel, cysgodol.

2. Mae'n hongian ben i waered wrth fachau ar ei gorff.

3. Mae ei groen yn hollti ac yn cwympo. Oddi tano mae croen newydd.

4. Mae'r croen yn caledu hyd nes ei fod fel cas.

Chwiler yw enw'r cas caled.

Mae chwiler yn hongian heb symud am wythnosau. Y tu mewn, mae iâr fach yr haf yn tyfu.

Mae rhai lindys yn cuddio mewn deilen wedi'i rholio cyn troi'n chwiler.

# Corff newydd

Pan fydd iâr fach yr haf wedi tyfu'n llawn, mae'n barod i ddod allan o'r chwiler.

Rwyt ti'n gallu gweld adenydd yr iâr fach yr haf hon yn ei chwiler.

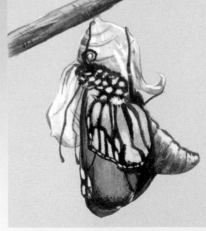

Mae'r iâr fach yr haf yn gwthio ei hun yn araf allan o'r chwiler.

Wedyn mae'n gorffwys. Adenydd gwelw, llaith a chrychlyd sydd ganddi.

Mae'n rhaid i ieir bach
yr haf adael i'w
hadenydd sychu cyn
y gallan nhw hedfan.

Rhaid i'r glöyn y
llaethlys hwn aros
am rai oriau i'w
adenydd ledaenu a
dod yn fwy cadarn.

Dydy ieir bach yr
haf ddim yn tyfu ar
ôl deor. Maen nhw'n
aros yr un maint
drwy'r amser.

# Hedfan i ffwrdd

Mae ieir bach yr haf yn symud
o gwmpas o hyd. Dydyn nhw
ddim yn aros yn llonydd
yn hir.

Mae gan bob iâr
fach yr haf bedair
adain fawr, lydan.

Maen nhw'n curo'r pedair adain gyda'i gilydd.

Mae cennau bach dros yr adenydd i gyd, sy'n amlwg o dan ficrosgop.

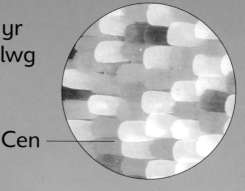

Cen

Mae adenydd rhai ieir bach yr haf yn curo 70 gwaith yr eiliad.

# Beth yw gwyfyn?

Mae gwyfyn yn edrych yn debyg iawn i iâr fach yr haf, ond dydy e ddim yn union yr un fath.

Mae gan y gwyfyn ymerawdwr hwn adenydd culach na rhai iâr fach yr haf.

Mae gwalch wyfynod yn hedfan yn llawer cynt nag wyt ti'n gallu rhedeg!

Mae'r rhan fwyaf o wyfynod yn hedfan yn y nos, pan nad oes cymaint o elynion o gwmpas.

Gwyfyn lleuad o Madagascar yw hwn.

Mae gan wyfynod gyrff tew blewog i'w cadw'n gynnes . . .

a theimlyddion pluog sy'n synhwyro pethau yn y tywyllwch.

# Bwydo

Mae ieir bach yr haf a gwyfynod yn byw ar sudd o flodau neu ffrwythau. Yn lle ceg, mae ganddyn nhw diwb hir, tenau o'r enw sugnydd.

Maen nhw'n yfed drwyddo fel gwelltyn.

Mae gwyfynod fampir Asia yn gallu pigo croen anifail ac yfed ei waed.

Fel arfer mae'r sugnydd wedi cyrlio.

Mae'n sythu wrth i'r iâr fach yr haf yfed.

Pan fydd syched ar ieir bach yr haf, maen nhw'n aml yn sugno diferion o ddŵr o dir llaith.

# Cuddio

Mae llawer o anifeiliaid yn hoffi bwyta ieir bach yr haf. Mae gan rai ohonyn nhw batrymau i'w helpu i guddio.

Os yw glöyn y dail yn aros yn llonydd, mae gelynion yn meddwl mai dim ond deilen sydd yno.

Mae'n anodd gweld ieir bach yr haf adain gwydr oherwydd eu hadenydd tryloyw.

24

Mae'n hawdd gweld y brithribin hwn wrth iddo hedfan.

Mae o dan ei adenydd yn wyrdd, felly mae'n gallu cuddio ar ôl glanio.

Mae'r gwyfyn blaen oren hwn yn edrych yn debyg i'r blodau y mae'n bwydo arnyn nhw.

# Dangos eu hunain

Mae rhai ieir bach yr haf yn wenwynig, felly does dim rhaid cuddio rhag gelynion.

Mae marciau llachar ar y glöyn cynffon gwennol hwn yn rhoi rhybudd i anifeiliaid bod blas cas arno.

Mae gan rai ieir bach yr haf smotiau mawr fel llygaid ar eu hadenydd i godi ofn.

Dyma ddwy iâr fach yr haf sy'n edrych yn wenwynig i anifeiliaid, ond dydy'r un ar y chwith ddim. Mae'n copïo patrymau'r iâr fach yr haf wenwynig.

Mae gan y gwyfyn hwn gorff tew ac adenydd bach. Mae'n edrych fel gwenynen felly mae'n cael llonydd.

# Mawr a bach

Mae ieir bach yr haf a gwyfynod
o bob lliw a llun i gael.

Gwyfynod atlas yw'r gwyfynod
mwyaf yn y byd. Mae pob un
o'u hadenydd yn lletach
na thudalen o'r llyfr hwn.

Glesyn pitw yw'r enw ar yr iâr fach yr
haf leiaf. Dyma ei maint go iawn.

Dyma
löyn sebra
cynffon gwennol.

Mae adenydd hir
gan lawer o
loÿnnod cynffon
gwennol er mwyn
edrych yn fwy.

Maen nhw'n eu helpu i'w gwarchod rhag
gelynion.

Mae adar yn aml yn
cnoi cynffonnau hir
ieir bach yr haf
yn lle'r corff.

Dydy colli darn o
aden ddim yn brifo ac
mae'n rhoi cyfle
i ddianc.

# Geirfa ieir bach yr haf

Dyma rai o'r geiriau yn y llyfr hwn sy'n newydd i ti, efallai. Mae'r dudalen hon yn rhoi'r ystyr i ti.

 sugnolyn – pad gludiog ar goes lindysyn sy'n ei helpu i gydio mewn coesynnau.

 chwiler – cas caled sy'n ffurfio am lindysyn wrth iddo newid yn iâr fach yr haf.

 cennau – darnau bach, bach sydd dros adenydd iâr fach yr haf.

 gwyfyn – pryfyn ag adenydd. Mae'n edrych yn debyg iawn i iâr fach yr haf.

 teimlyddion – darnau bach tenau ar ben iâr fach yr haf sy'n synhwyro aroglau a seiniau.

 sugnydd – tafod hir iâr fach yr haf. Mae'n ei ddefnyddio i yfed hylifau.

 gwenwynig – rhywbeth sy'n beryglus i'w fwyta. Mae rhai ieir bach yr haf yn wenwynig.

# Gwefannau diddorol

Os wyt ti'n gallu mynd at gyfrifiadur, mae llawer o bethau am lindys ac ieir bach yr haf ar y Rhyngrwyd. Ar Wefan 'Quicklinks' Usborne mae dolenni i bedair gwefan hwyliog.

Gwefan 1 – Argraffu darluniau lindys ac ieir bach yr haf i'w lliwio.

Gwefan 2 – Cyfateb parau o ieir bach yr haf mewn gêm gofio.

Gwefan 3 – Gweld ffilm wedi'i chyflymu sy'n dangos camau ym mywyd glöyn y llaethlys.

Gwefan 4 – Datrys pos ieir bach yr haf.

I ymweld â'r gwefannau hyn, cer i
**www.usborne-quicklinks.com**.
Darllena ganllawiau diogelwch y Rhyngrwyd, ac yna teipia'r geiriau allweddol "beginners caterpillars".

Caiff y gwefannau hyn eu hadolygu'n gyson a chaiff y dolenni yn 'Usborne Quicklinks' eu diweddaru. Fodd bynnag, nid yw Usborne Publishing yn gyfrifol, ac nid yw chwaith yn derbyn atebolrwydd, am gynnwys neu argaeledd unrhyw wefan ac eithrio'i wefan ei hun. Rydym yn argymell i chi oruchwylio plant pan fyddant ar y Rhyngrwyd.

# Mynegai

## Cydnabyddiaeth

Golygydd ar ran Usborne: Fiona Watt, Dylunydd: Mary Cartwright
Gyda diolch i John Russell, Emma Julings a Michelle Lawrence

**Lluniau**

Mae'r cyhoeddwyr yn ddiolchgar i'r canlynol am yr hawl i atgynhyrchu eu deunydd:
ⓗ **age fotostock/Superstock:** clawr; ⓗ **Alamy:** 18-19 & 31 (Gay Bumgarner);
ⓗ **Ardea:** 2-3 (Jack M. Bailey), 15 & 20 (John Mason), 27 (Alan Weaving), 29 (Elizabeth S. Burgess);
ⓗ **Corbis:** 4 (Michael & Patricia Fogden), 25 (Laura Sivell; Papilio), 26 (George D. Lepp);
ⓗ **FLPA/Minden Pictures:** 12 (Ray Bird), 16 (S & D & K Maslowski), 21 (Frans Langing),
28m (C.Mullen); ⓗ **Getty Images:** 1 (Gail Shumway), 8-9 (David Maitland); ⓗ **Oxford Scientific
Films:** 5, 6, 10 (David M. Dennis); ⓗ **Science Photo Library:** 11 & 19 (Claude Nuridsany &
Marie Perennou); ⓗ **James F. Snyder:** 28b; ⓗ **Still Pictures:** 24 (Luiz C. Marigo);
ⓗ **Warren Photographic:** 13, 17, 22, 23 (Kim Taylor)

Cyhoeddwyd gyda chefnogaeth Llywodraeth Cynulliad Cymru.

Cyhoeddwyd gyntaf yn 2003 gan Usborne Publishing Ltd., Usborne House, 83-85 Saffron Hill, Llundain EC1N 8RT.
Cyhoeddwyd gyntaf yng Nghymru yn 2010 gan Wasg Gomer, Llandysul, Ceredigion, SA44 4JL.
www.gomer.co.uk
Cedwir pob hawl. Argraffwyd yn China.

Anifeiliaid Peryglus

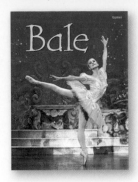

Bale

Byw yn y gofod

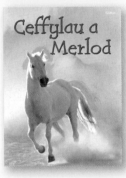

Ceffylau a Merlod

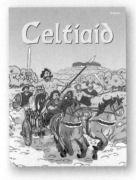

Celtiaid

Coedwigoedd glaw

Cŵn

Deinosoriaid

Dy Gorff

Eifftiaid